バカげた風評道徳

西岡仁克
NISHIOKA MASAKATSU

幻冬舎 MC

バカげた風評道徳

もくじ

人類史上初のコロナウイルスとの戦いの毎日、いかがお過ごしでしょうか？
お伺い申し上げます。

とにかく、人間社会は、人と人との交流で成り立っている社会です。
その、人と人とが接してはいけない今回の病原体、人類の英知で早く収束することを祈るばかりです。

日本人は昔から【道】というものを大切にしてきました。
武道の世界では、「剣道」・「柔道」・「空手道」があります。

「道」には【礼】というものが、つきものであり、柔道の生みの親、嘉納治五郎翁は、
柔道は「礼に始まり、礼に終わる」と仰いました。

又、【礼儀作法】には、「華道」・「茶道」・「書道」などがあり、
これも全て【道】と【礼】が一体であることを教えてくれています。

「道は、もともとそこには無い、人が行き交うごとに道は出来るのだ」

という言葉がありますが、人が行き交うごとに人道が出来る。

人道に反して、「礼」を失することを【失礼】と言う。

【人道とは礼を伴うもの】

そういうものではないかと考えます。

皆様におかれましても、【人間関係を希薄化】させる現状に打ち勝ち、人道を守って、くれぐれも御自愛されんことを深く願い、皆様方のお顔が拝顔出来る日の来ることを望んでいますが、

私も自宅待機で耐え忍んでいますので、皆様方からの近況報告などを電話やメールでお知らせいただければ幸甚です。

先ずは、ご挨拶まで。

合掌

株式会社　明西エンジニアリング　代表取締役会長
（ＷＥＰ塾塾長）　西岡仁克

まえがき

日本も、昭和20年の終戦以来、70年以上経ち、廃虚と化した国から経済大国へと、大きく様変わり致しました。

産業も、鉱工業生産から、
サービス産業の観光立国と変化して来ました。

言論の自由も許され、自己主張も出来る世の中になったのは素晴らしいことと思います。

反面、個人主義が横行し、
情報化した現在、何が正しいのか、何が間違っているのか判らなくなり、氾濫しています。

また、生活も、核家族化し、人間関係も希薄化して、嘆かわしい世相となり、
今こそ原点に返り、知育偏重教育から、人道上における道徳教育を充実させねばならないと考えています。

一言訓話

艶笑小噺

もう、60年以上も前の昔話

私の若かりし、確か16、7歳頃のことだったと思う。

親父と道端で二人並んで

男の特権・「立ち小便」。

親父いわく、横に居る私に向かって

「お前の若さで【持って】小便するなんて……」

私いわく、すかさず、

「お父ちゃん！　両手で【持たねば】オシッコが顔にかかる」

元気な少年でした。

でも、今も両手で「持って」オシッコをしていますよ。

なぜなら……足元にかかるから（笑）

遠い昔話でした。

お下品でスミマセン。

孤独な楽しみ

今の私はこのコロナ禍、若い人達のように、スマホや、タブレットやゲームをしたり……等々、独りで過ごす事が出来ない。

現役の頃は、ゴルフ、麻雀、ビリヤード等、友人たちと楽しんだものだが、今となっては、その友人たちは、ほとんど他界してしまった。

孤独になった私は、何もする事が無く、寂しい毎日を過ごしていたが、このたび、一人で楽しむものが、やっと見つかりました。

それが、毛筆での【写経】です。

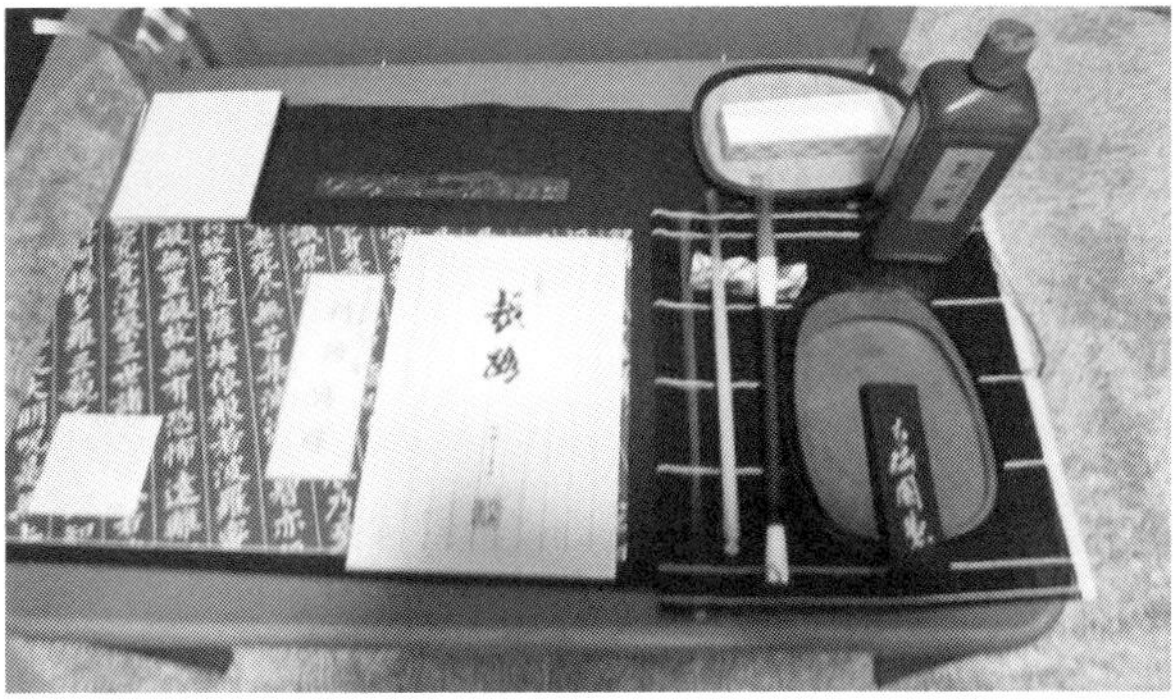

般若心経写経の作法

前回のブログ【孤独な楽しみ】で、写経をしています。

写経する人の心得を教わりました。

1．先ず室内を浄める。
1．清潔、衣服を正しく着る。
1．手を洗い、口をすすぎ、身心を浄める。
1．机上に用具を揃える。
（写経用紙、硯筆、墨、文鎮、水入れなど、）

1．三礼
1．着座
1．誦経（般若心経の一巻）
1．願文
1．浄写（無我の境に入って、至心に写経）

1．祈念（各々、願いごと心願を写し、念ずる）

1．廻向（願わくば、この功徳を持って、あまねく一切に及ぼし、我等と衆生と皆ともに仏道を成ぜん事を）

1．三礼

1．退座

以上が、写経をする人の作法、心得です。

とにかく、邪気を払い、心を【無】にする事から始めなければなりません。

一言訓話

【コロナ禍の風潮】

★世間では……

マスクをしている人は【正常】

していない人は【異常】

これって【正常？？？】

★近頃のご挨拶……

もう、ワクチン打たれましたか？

三回？　四回？

★今の我々は……

【細胞】対【ウイルス】の

戦いですね。

いつまで続くやら……。

一言訓話

【総裁選の裏話】

総裁任期も間もなくで、総裁選が行われる。

国民は今、強いリーダーシップの発揮できる総理を求めている。

自民党の総裁選は、【国民のため】では無く、内裏では、党派内の「派閥の権力闘争」

党派には、〇〇という派閥の黒幕が牛耳っている限り、国政は良くならない。

国民は蚊帳の外で、「そっちのけ」と言う事だ。

今回、女性議員【元・総務大臣・高市早苗議員】が総裁選に立候補している。

日本もいっそうの事、ドイツのアンゲラ・メルケル首相を見習い、初の女性総理の誕生も良いのではと推察する。

国民のためを思う、「細やかなる配慮」ができ、

国政も変わるのではないか?と考えるからである。

一言訓話

知性豊かな【知識力】だけでは、会社や国を運営することが出来ない。

そこには、培った「知識」を【知恵】に変換する能力が必要だ！

そう言った意味では【悪徳詐欺師】の知恵は我々に考えられない特異なものを持っている。

この「知恵」の使い方を学びもっと【善良なもの】に使えば、今の世の中、素晴らしいものになるのだが……

一言訓話

時代と共に、新しい物が開発されたり、発案されたりするのは素晴らしいことではあるが、古き良きものまで、時代に合わないという理由で、廃棄、廃案されるのは、寂しいものと感じる。

最近では、個人主義となり【義理・人情】という人間関係まで失われつつある、嘆かわしい世の中になりましたね。

一言訓話

★人道精神とは……

「道はもともと、そこにない。人が行き交う毎に道は出来るのだ」

★互助精神とは……

「譲り合う、心一つで事故はゼロ」

プーチン大統領にも伝えたい訓話ですね。

経営

プロ意識の欠如

昨今思うに、【師・士】と付く職業の人教師・医師・技師・弁護士・税理士・労務士……等々。

これらの職業の人は、何かしらの【資格】というものが必要となっている。

今の世の中、「安定した生活をするため」だけを目的として、
資格を取得する者が多くなった感がある。

資格を取得すれば、就職も容易にでき、開業もでき、先生と呼ばれ、尊敬される資格社会の現代。

私の体験から、この資格を持った先生と呼ばれている「師・士」という人たちとの関わりが多く、色々とお世話になる事も多々ある。

が、しかし……

資格を取得するために勉強はしてきて、理論的な知識はよく知っているものの、【実践が伴わない】。

色々、相談するに当たって、「教科書通り」の回答で、ネットや本に載っている言動ばかり。

【だからどうする?】と言った独創的な、【プロフェッショナル】としての(知恵と技術と実力)を持った、師・士がいない。

【知識記憶式教育】の偏重か?

頼り無い「先ず生きる」という先生が多くなり、うんざりしている。

肩書きに恥じない、使命感を持った【匠の技の資格者】になって欲しい。

医者に物申す

早いもので、今年もあと少しですね。

皆さんは、どんな一年でしたでしょうか？
私にとっては、毎日毎日、病院通いの一年でした。
膨満感で苦しんで、一年間、6院の病院通いをしました。

通院、入院していて感じたことは、総合病院であろうが、大病院であろうが、最近の病院は医療設備が整っているだけで、肝心の立派な判断の出来る医師がいない。

検査、検査ばかりで、検査結果は「異常なし」。

何のアドバイスも無く、答えは決まって、【ストレス】、【自律神経】、【加齢】という、マニュアルに則った定番通り。

異常があるから、病院へ行っているのに、異常がないの一点張り。

症状を説明しても、首を傾げるだけ。

治療法が判らない医師ばかり。

私が思うに……、

いくら立派な大病院であっても、要はそこに勤務する医師次第で、ただの資格を持った

【サラリーマン医師】

患者（お客様）は無限に来て下さるので、事務的処理でこなしているだけ。

正に、【医は仁術】ではなく【算術】になりました。

皆さんも、病院ではなく、医者を選ぶ様に心掛けて下さいね。

感情的な人間関係

昨今、企業内で、よくおきていると言われている

「パワハラ」
「セクハラ」
「モラハラ」

これらの問題は、しょせん、常日ごろ、友好的な人間関係ができていないところに要因があるもので、

【ただの感情動物】

と相違ないのではないか？

と、バカバカしく感じる。

また、それをあおるマスコミにも責任がある。
何でも自由に表現出来る世の中である反面、
何にも言えない不自由な社会と化した。
益々、人間関係が希薄化してきている。

携帯電話の使い道

昭和後期、いつでも何処でも、連絡が取れ、話し合いが出来るよう、
便利な【携帯電話】が開発された。

が、……

近年、携帯電話が【スマホ】になり、電話としてだけでは無く、
メール、ライン、カメラ、動画、地図、ゲーム……等々、
多種多様な機能が満載され、色々な使い方をされるように改良された。
その事については、大変便利で、何の異存もない。
ただ、一言、言うならば、最近、電話としての機能が薄くなり、

「急用があって電話」をしても、殆ど繋がらない。
マナーモードにしておられる方々も多いからであろうが、本来の
「電話としての役目」
がなくなったのには、昭和生まれの私にとっては、
嘆かわしい感じがしてならない。

経営者よ現場を知れ!!

【社長とパソコン】

会社が大きくなるにつれ、社長たる者、常に数字を意識し、立派な社長室に閉じこもり、財務諸表なり目を通す機会が多くなる。

また、会議、会議と幹部を集め、日々討議しながらパソコンを操作することが多くなる事は、仕方がないことかも知れない。

しかし、チョット待った!

【社員の顔を見ること】を忘れてしまってはいないか?

JR福知山線の、あの脱線事故の、大惨事を思い出していただきたい。

あれは僅か、20代の若い一人の運転手が起こした事故である。

通常の会社なら、完全に倒産の羽目となっている。

今、現場では何が起こっているか?

常にお客様と直結し、活躍している現場の第一線の人たちを知らずして

【経営者は務まらない】

時には現場を見ることも経営者の大事な責務ではないかと考える。

五感の技術

地球上のあらゆる生物の代表【万物の霊長】といわれる人間
その人間が開発した文明によって、今、動物本来の持つ本能、
即ち《五感》「視覚」・「臭覚」・「聴覚」・「味覚」・「触覚」が失われつつある。

余りにも、開発された「計器具類」に頼り過ぎる世の中になったせいであろうか？

先代から受け継がれ、経験値で養われてきた【職人】の匠の技（わざ）は、正に、「五感」の
集約にほかならない。

★技術の原点は「五感」にあり★

これらが、今の日本の商工業技術を発展させ、支えてきたことを忘れてはならない。

技術者よ、五感を磨け!!

社長とパソコン

私は今年で、79歳。

会長職となって、やっとパソコンを使えるようになりました。

もう、50年以上も前の話ですが、私の若かりし社長時代の頃、
神戸大学の経営学部長であられる「加護野忠男教授」の経営学ゼミを受けました。

当時、「オフコン」と呼ばれ、会社には、オフィスコンピューターが1台あれば凄かった時代です。

教授いわく、将来、個人個人の机の上に、コンピューターが1台づつ置かれる、
所謂「パーソナルコンピューター」＝「パソコン」の時代が到来するでしょうとの事。

しかし、社長たる者、

【自分の机の上にパソコンは置かない方が良い】

と言われました。

パソコンを置くと、画面に夢中になり、

「社員の顔が見えなくなる」

というのが、その理由だそうです。

私はその教えを守り続け社長であった35年間、一切パソコンには触れず、

常に「社員の顔」を見て、経営して参りました。
私は今でも、社長たる者、社員の顔を見ずして健全な経営はできないと思っています。

情報化時代

正しい情報とは……

友人、知人、家族など、身近な人からの

【体験談を聞く事】

が、一番的確な情報源の習得となる。

情報化社会を考える

物事を知らせるべきか、知らせないべきか？　知るべきか、知らざるべきか？

人間の気持ちとして、他事の「機密事項は知りたい」「内緒ごと、隠し事は知りたい」という心理は誰にでもある。

しかし、結果的に「知って良かった」「知らなかった方が良かった」と言うことがある。

異性間において男性の携帯の中には、女性の幸せは入っていない。また逆に、女性のバッグの中には、男性の幸せは入っていないと誰かが言っていたのを聞いた。

まさに現代の「知りたい」「知られたくない」ことの代表であるが、「知らない」方が幸せなこともある。

【個人情報の機密】を法律で設けられているにも関わらず、メディアでは、無名人のプライバシーを堂々と全国ネットで報道し、話題人に仕立て上げている。
《公序良俗》に反する、「反社会的なこと」は、知らせるべきであると考えるが、
報道とは、余りにも【知りたくもない事まで知らす】必要があるのか？
受報側の個人差があるので、考えさせられるところではあるが……。
あの、尖閣諸島の漁船衝突事故から始まり、相撲の八百長事件、はたまた、
有名人のスキャンダルに至るまで。
【知る権利】
【知らす義務】
について、情報が氾濫している
《情報化時代》の今の時期、
原点に返り、メディアによる公表は慎重に、再考する必要があるのではないか？

人間社会の構成

昔から

★駕籠に乗る人
★駕籠を担ぐ人
★またその草鞋を作る人

と言われていましたが、

現代風に置き換えると、

★物を作る人
★物を売る人
★物を買う人
★物を使う人
★物を保全する人

★物を捨てる人
★ゴミを集める人
★またそのゴミを処理する人

と、でも訳しましょうか。

人間社会は、一つの物でも

【色々な人々の協力】

のサイクルによって、成り立っていることを、もう一度原点に返って知らねばならない。

最新版　トップのカリスマ性

企業など、トップに立つ人は何かしらのカリスマ性を持った人が望ましい。

が、しかし、カリスマとは【独裁性】と誤解されやすい。……では無く、トップとしての強い行動力と、使命感を持った【信念】を意味することであって、机に向かって、お勉強、お勉強ばかりで育ったお坊ちゃま優等生は、世間知らずで、カリスマ性が薄く、トップとしては相応しく無い。

リーダーになれたとしても、「リーダーシップ」は取れない人が多いようです。

ズバリ言えば……

先頭に立って、命がけで【俺がやってやる!!】と言う【根性が無い】と言えるのではないか？

確かに、言う事は立派だが、行動が伴わない。

まさに【巧言令色鮮し仁】とは特に、国会議員の先生方に多いのではないか??

と、思いたくなる。

社会

おんな心

先日、パーソナル・インストラクターの「MIWAKO先生」から聞いたお話です。

先生いわく女性は、

（1）目の前のケーキを見ただけで、満腹でも別腹ができる。
（2）化粧品は使っただけで、綺麗になった気分になる。
（3）ダイエットマシンは、置いてあるだけで、痩せた気分になる。
（4）本は買ったら、読んだ気分になる。

また、書棚に並べてあるだけで、知識を得た気になる。

……らしいですね。

テレビ・サプリCM

最近では、高齢者が増えたせいか？健康を維持する為の老人向け、
【健康食品（サプリ）】のテレビCMがやたら目に付く様になりました。
その殆どが、高齢者に当てはまり通販で購入する仕組み
となっております。

ゆっくり考えさせない為にか??
今から「30分以内」に申し込めば、通常価格の半分以下で販売致しますと……。
私も、バカなのか、ついつい購入してしまい、何ヵ月間も、色々試してみましたが、
【一向に効き目がありません】
CMでは、有名人や、購入者の「まことしやかな」、効果ある感想が、
(大げさな臭い芝居）の映像で報じられています。
が……、
【チョット待った!!】
よくよく観れば、画面の隅っこに、見えない様な小さな文字で、

これは……

★個人の感想であり、効果を保証するものではありません。

★効能には、個人差があります。

と、表示されているではありませんか。

売れ行きも、何十万人とか、90パーセント以上、とか言われていますが、根拠がありません。

高齢者の皆さん、紛らわしい【誇大広告】に惑わされ無い様、気を付けて下さいね。

それぞれの記念日

世界各国には、それぞれの「記念日」がある。

個人個人についても、それぞれの記念日があり、自分にとっての記念日はやはり「誕生日」が唯一の記念日であろう。

アメリカ人にとって、忘れてはならない記念日として、「夫人の誕生日」と「結婚記念日」と、「アメリカの独立記念日」とよく言われている。

日本国においては、1945年8月15日の【終戦記念日】は絶対に忘れてはならない。

また、京阪神地区の人達にとっては、1995年1月17日午前5時46分
今回の東北・関東地方の方々にとって、2011年3月11日午後2時46分はまた、また、忘れられない記念日となってしまった。

同じ記念日でも、「祝い事」と「哀悼事」があるが、これからの日本、国にとって《祝い事》となる記念日が生まれてくる事を強く望む。

テレビ放送の在り方

最近、パソコンの一般的普及で、インターネットによって、世界の情報が即座に伝わる様になりましたが、日本人の多くは、まだまだ「テレビ」というメディアによって、与えられた映像情報を（真実）と鵜呑みにしている。

自分でよく咀嚼し【考える】という事をしなくなった《付和雷同型人間》を作ってしまった。

視聴率という、「営利を目的とした番組」を制作し、放映している民放の影響責任は大きい。

笑えないお笑い番組や、歌詞に意味のない、歌謡番組などを平然と放映し、完全に日本人を総バカにしてしまった。

今やっと、それぞれの地域を代表する全国33局の民間放送局が教育の機会均等と、振興に寄与する事を目的に

【公益財団法人 民間放送教育協会】が生涯学習の普及をめざし、今は亡き作家の、三浦朱門会長のもと、各テレビ局の会長、社長、そして……、

なんとあの「帰って来た伝説の歌姫」

《園まり》さんまでが理事となり、もう一度、原点に返り、民放の在り方について再考しているとの事。

先日、大阪のリーガロイヤルホテルで「園まりさん」と一緒にお食事をしながらのお話でした。

ネット犯罪

先日起きた、大学での「入試ネット投稿事件」は、受験生の試験中における、単なる【カンニング行為】である。

我々の学生の頃もカンニングはあった。

当時は、隣の受験生の答案用紙を盗み見したり、自分の手の平に書いていたり、消しゴムに書いたり、また、鉛筆を立てに割り、内側に書いていた高度なテクニックを用いたりした者もいた。

しかし、今から考えれば、かなり幼稚な行為であった。

カンニングそのものは、法律に触れる犯罪ではなく、見つかれば注意、または叱責、悪質であれば失格となる行為であった。

今回のカンニングは、「IT」、即ち、情報化社会に於ける、テクノロジーを駆使した広域行為であり、「偽計業務妨害罪」として、立件されても仕方がないであろう。

たとえカンニングと言えども、違法であり、ネット犯罪は、文明社会が生んだ【ある種の悲劇】とも言える。

見方を変えれば、メディア（テレビ番組）も解釈によっては「合法的」な《広域情報犯罪》ではなかろうか？

と思われるフシの報道もある。

愛煙家の嘆き

最近、何処の喫茶店に行っても、全席禁煙で、タバコは吸えないですね。

愛煙家にとっては、コーヒーとタバコは付き物で、座ってコーヒーを飲みながらタバコを吸い、何人かで、談笑する場所が無くなったのは侘しい限りです。

嫌煙者に迷惑がかかるなら、分煙にすれば良いのに……。

要は、嫌煙者に対する、タバコを吸う人のモラルの問題でしょ？

タバコを吸いながら好きなコーヒーも、ゆっくり飲めない。嘆かわしい世の中になりましたね。

タバコは栽培して良し、製造して良し、売って良し、買って良し、吸って良し、吸う場所が無い。

何か、矛盾していませんか？

ならば、一層の事、法律で禁煙法を立法化してみては？
何か異変が起きるかも??

歌謡曲・今昔

最近の若い人が歌っている歌は、昭和歌謡と違って、歌っていると言うより、マイクを口に押し付けて、大声で怒鳴っているという感じですね。

いくら素晴らしい歌詞であっても、歌としての表現力が乏しく、テロップを見ない限り、何を言っているのか？

さっぱり分からない。

その点、昭和歌謡では、

石川さゆりの「津軽海峡冬景色」、

小柳ルミ子の「瀬戸の花嫁」、

中でも、ちあきなおみの「喝采」など、歌から風情が窺われる。

さすが、レコード大賞を受賞しただけの素晴らしい歌詞と言える。

昭和歌謡が素晴らしいのは、やはり、歌の上手な「本物の歌手」と、本格的な「プロの作曲家、作詞家」がいたからでしょうね。

最近のテレビ芸人

自宅待機する事になって、テレビを見る機会が多くなった。

何処のテレビ局を見ても、「お笑い芸人」と言われている人がよく出演されているが、【芸人】と言われているにも関わらず、本物の【芸】というものが全く無い。

ただの、【奇人変人】の出演である事に、へきえきしている。

最近の民放テレビ

今の民放テレビまるでコマーシャル番組。
30分番組の半分がコマーシャル。

しかも、コマーシャルもドラマ仕立てになっており、
どれが本編で、どれがコマーシャルか？　分からなくなってきている。

トーク番組の本編でも、出演されている業界の人達だけが分かる話題で楽しんでいて、視聴者には、全く面白さの意味が分からない。

これじゃぁ、年輩の皆さん、
益々、テレビ離れしていくのが分かる様な気がします。

食レポ番組

最近のテレビくだらない番組ばかりで、ＳＮＳや、ツイッターなどで悪評されるからか？

どのチャンネルを見ても、無難な、【食べ物番組】が多くなった。

しかも、決まって、
ラーメン、餃子、焼き肉
スィーツ、……などなど

それも、通常の物では面白く無いのか？
変わった、飾り付けや、調理の仕方、大盛りなどの料理や、裏町にある、変なお店の紹介。

それを、芸人と言われている人たちが、食レポに行く。
そして、決まって言うせりふは、

【うま〜いぃ〜!!】の一言。

その、うまさをどう表現するか？　大げさなリアクションを話題にしている。
どんな物でも「グルメ番組にマズイ物無し」
本当に美味しいのか???
疑わしい限りである。

地球異変・人口減少

今、地球上には79億人超の人類が生存し、毎年、増える傾向にある。

ある学者によると、地球が賄える人口は【50億人程度】と試算され、【29億人以上の人類が、過剰】となっているとか。

この地球上の万物は、全て自然界によって支配されている。

最近の地球上の環境は、まさにそれを物語っている様な気がする。

コロナ感染、トンガの海底噴火、地震、津波、ハリケーン、地球温暖化現象による天候異変、など、全て、【人口減少】につなげるための地球憤慨と言える。

これからは、人類と自然界の戦いの時代となって行くだろう。

住宅事情の変化

私達の幼少の頃は、今の時代と違って、
居宅は、戸建ての長屋暮らしで、隣近所の人達とのお付き合いも盛んであった。
家中は、二世帯、三世帯住まいであり、
勿論、自分の部屋など無かった。

従って、遊びと言えば、近所の子供達と、
「鬼ごっこや、隠れんぼ」
などして、外で、皆と仲良く、夕飯時まで遊んだものだった。

今の子供達は、マンション住まい等、住宅事情も変わり、
核家族化して、自分の部屋をもっている。
従って、屋外で近所の子供達と皆で一緒に遊ぶというより、
自室に閉じこもり、テレビを観たり、パソコンや、スマホでゲームをしたりして、
【独りで遊ぶ子供】
が多くなった。

よって、「祖父母や両親との会話や教え」又、「近所の人達からの注意や指導」も無く育ったせいか？

成年になっても、人間関係が保てず、近所に住んで居るにもかかわらず、挨拶も出来ない。

【人間関係が希薄化した】寂しい世の中になったものだ。

こうして成人に育った子供達の環境が、訳も判らない、「変な殺傷事件の要因になっているのかも？・？・？・」と、思いたくなる。

表現力の使い方

ちょっと涙を浮かべただけで、↓【号泣】
ちょっと笑みを浮かべただけで、↓【爆笑】
ちょっと付き合っていただけで、↓【熱愛】
ちょっと怒った顔をしただけで、↓【激怒】
ちょっと残業が続いただけで、↓【激務】

★臨場感を出す為か？

視聴率、購買率を意識した、マスコミの表現も、【いい加減にせよ!!】と言いたい。

認知症予防策

もう随分、昔の話ですが、私は以前、「川柳の会」に入会していました。
会では、お題を頂き、【即席で】川柳を作るのですが、
私が頂いたお題は【川】でした。

私の作品です。
「川の字に、寝てるわが子を乗り越えて」でした。
横に座っていた、ある有名な落語家の師匠が、「会長！中々の艶モノですなぁ」
と言われ、「そのお題、私も頂戴致します」と、言って作られたのが、
「川の字を越えて、今夜は久しぶり」
さすが、落語家!!
私以上の【艶モノ】でした（笑）
又、同席していた弊社の社長には、【踊り】と言う、お題が与えられました。
社長の作品は、「カツオ節、豚玉の上、踊り出し」

で、皆さんから絶賛されました。

先ほどの川柳ではありませんが、「川」と言うお題で、一般的には、流れる川を想像され、又、「踊り」と言うお題では、ダンスなんか思い浮かべられるのではないでしょうか？同じ単語でも、チョット見方を変えて固定観念を捨てれば、発想の転換で、前頭葉を刺激し、認知症の予防になり、柔らか頭に鍛えてくれるものと思います。

人間関係

アスリート精神

産業構造の変化により情報化時代の「サービス産業」に経済成長した日本。

戦時中生まれの私にとって、このコロナ禍、政治家を筆頭に、多くの庶民は、もう完全に【平和ボケ】していますね。

欧米化し、日本人魂はいずこへやら。

今、オリンピックの真っ最中。

原点に返り、頑張っているアスリートたちの「心・技・体」で鍛えられた精神を、見習って欲しいものです。

私の義援金活動

２０１１年の東北地方太平洋沖地震で、芸能人を始め、スポーツ選手や各有名人、著名人の人たちが各地で義援金の募金活動をされている。

素晴らしい事だと感心している。

彼らが街頭に立つだけで一般の人たちからの義援金が集まる。

しかし反面、我々、一般人が募金活動をしても、「誰も募金はしてくれない」悲しい事実が現状である。

従って私は、個人的に各々の団体に対して支援させていただいております。

弱くなった日本男性・Part1

男（おとこ）・女（おんな）と表現しているのは人間だけで、動物学的には、「オス」と「メス」である。

共に「種の保存の法則」に基づく性欲本能を持ち、オスは自分の子孫を、メスは「強いオスのDNA」を持った子孫を残したいという自然の摂理を持ち合わせている。

しかし近年、女性というメスから見て、強いDNAを持ったオス（男性）が少なくなり、「草食男子」・「肉食女子」と呼ばれる《草食系時代》となった。

女性の婚期も年々遅くなり、少子化現象に拍車をかけている。

ビジネスの社会においても、女性実業家、女性社長、女性管理職のかたが多くなった。

これは産業構造の変化にもよるか?、男性が、余りにも弱くなってしまった原因として、推測されるのは、本来、オスの持つ【闘争本能】則ち（競争の原理）がなくなり、横並び社会になったのが起因しているのではないかと考えられる。

弱くなった日本男性・Part2

前頁に続いての事であるが、現在では、「男らしい男」といえるのは、スポーツ選手のみとなってきた。

スポーツ選手、即ち「体育会系」の男性は、常に競争の世界に生きており、闘争本能を養われるからか？　女性からも敬愛されている。

しかし、殆んどの男性は闘争本能を無くした、ただの「オス」と、化してしまった。

今、なぜ韓流スターが、もてはやされるのか？

韓国では「徴兵制度」があり、鍛えられているからではないか？

強い男性に育て上げるには、日本も以前の様に、「徴兵制度」と「遊廓」を復活させれば……

と提唱すれば、多くの人たちから、バッシングを受けるであろう。

遊廓はともかくとして、徴兵制度に代わるものとして、男性は一定の年齢に達したら、一定の期間「自衛隊の体験学習」を取り入れてはいかがなものか？

もっと根性を持った、精神的、肉体的にも強い、毅然たる男性に育って貰いたい一心で、【草食系時代】と「おさらば」したいと願うものである。

助け合い運動

2011年の「東北地方太平洋沖地震」によって、我々人類は【自然は自然によって保たれ、文明は文明によって破壊される】という教訓を学びました。M9・0という記録的な大地震で津波を交えた【史上最大の震災】と言われています。

罹災された犠牲者の方々に心から哀悼の意を表すると共に今は一人でも多くの行方不明者の生存を望む次第です。

我々、関西在住の者にとっては、「阪神淡路大震災」を体験しているだけに、その悲惨さは痛い程わかり、一日でも早く、少しでも多くの【救援活動のお手伝い】をさせて頂きたい気持ちでいっぱいです。

この災害は、地震、水害、原発と、《国難》であり、国をあげて、官民一体となり、対処せねばならない事態なので、皆様の節なるご支援、ご協力をお願い申し上げます。(合掌)

信頼できる人間形成

【心】は相手に見えない……

が、《心遣い》は見える。

また【思い】は相手に伝わらない……

が《思いやり》は伝わる。

どこかで聞いたフレーズであるが、頭で考えた事を「言葉」で発し、そして、それを形として、

「行動」に移す。

これ即ち、『考・言・行』の一致表現にほかならない。

「考え」だけではいけない。

「言う」だけでもいけない。

何事も「行動」が全てを語る。

人間関係における【信頼性の法則】と言えるのではないだろうか？

情報が氾濫している今日、皆さん成る程、理屈は達者で「雄弁者」であるが、その【行い】

となると……？？？

多感な「義務教育期間」において《実践教育》をしっかりと、身に付けさせていただきたい。

人と人との繋がり

ＩＴが普及したから人間関係が稀薄化したのか？
人間関係が稀薄化したからＩＴが普及したのか？
とにかく、
人と人が会って話す機会が無くなりました。
動物の中で唯一、言葉が喋れるのは、人間なのにね。
侘しい世の中になりました。

人間関係の在り方

昨日、喫煙所で、見知らぬ人から、「タバコの火を貸して下さい」と、言われました。

私は、「どうぞ」と言って、ライターで火を付けてあげたら、「有難うございました」と、お礼を言われました。

何気ない光景ですが、そこから、お互い【愛煙家の嘆き】についての会話に花が咲きました。

今、人間関係が稀薄化している世の中、同じマンションの住人同士でも挨拶もない。

酷いのは、親子・夫婦関係においても会話が無い家庭もあるとやら。

仏教用語に【袖すり合うも多生の縁】と言う諺があります。

【多生】とは、仏教で人間は何度も生まれ変わるとする考えで、道で袖が触れ合うだけでも前世からの因縁による。
ということです。

コロナ禍の今こそ、人間関係について、もう一度、原点に返り、見直そうではありませんか。

待つという事

【待つ】という時間。

★友人を「待つ」
★バスや電車を「待つ」
★食堂で料理を「待つ」
★毎月のお給料を「待つ」

これらは、どれくらい待つのか、日時がハッキリ分かっている。
従って、待ち時間まで、色々な用事が出来る。
問題は、病院での「待ち時間」。時間がよめない。
先日も、総合病院で、「朝の9時に来て下さい」との予約を受けたにもかかわらず、
検診を受けたのは……「10時30分」。
ナ、ナント、「1時間30分待ち」
それなら最初から、「10時30分に来て下さい」と、言うべきで、患者（お客様）を待たす事に、
何の後ろめたさも感じないのであろうか？

しかも、診察は僅か5分程度。

会社に帰り、秘書にボヤイたら、【病院では当たり前】の事らしいですね。

我々、ビジネスの世界では、待ち合わせの10分前には、現地に入っている。

【相手を待たせる事は失礼】にあたるからだ。

【時間＝時は金なり】といって、両親から、時間は大事なもの、時間のルーズな人とはお付き合いするな！　と、教えられた。

本来なら、お付き合いしたくない病院。

【この待ち時間は何とかならないものか？】

政治

議員の使命

日曜日の朝、NHKで放映されている国会議員各党の政調会長の議論、

コロナ対策について、野党は追っかける与党は逃げる

まるで、「言葉の鬼ごっこ」

現況のコロナ現象、これは【前代未聞の国難】ですよ。

他人事の様に、各党の批判の追及や、責任のなすり付け合い、

また、大勢が知っている現状や、経過報告ばかり。

【だからどうする】が無い。

今は、知識論の主張ばかりしていないで、

与野党関係なく、国会議員、各都道府県の首長、一丸となって、

もっと【知恵】を出し合い「前向きな対策」を考えるべきではないのか。

それが、国民から選ばれた議員の使命でしょ。

こんな有事な時こそ、議員としての真価が問われるのではないか。

議員連中へ、国民の声

国民の「血税」で、優雅に生活している、議員連中。
非常事態宣言が出ても、自分達は何ら、経済的にも、食べる事なども心配ない。
この「一大有事」にこそ、力量を発揮して貰いたい!!
他人事のように感じているのか、平和ボケしている弁舌議員ばっかり。
我々が、強制的に徴収されている税金は、何のためなのか?
議員連中の生活費のために納税しているのでは無い。
こういう時にこそ、一般庶民と同じように、自分たちも痛みを分かち合い、
【議員報酬30パーセント以上カットする】などの、対処をせよ!!!

次の選挙に影響するかも???
【サイレントマジョリティー】を代表して。

国会議員の先生方へ

【延命対策】

★生あるものは死し、
★形あるものは壊れる。

【これは自然の摂理】

さてさて、
これらの延命策は……？

「健康管理と設備の保守点検」であろう。

40〜50年前の国策による建設ラッシュで、「老朽化した公共設備」
国民は何気なく過ごしているが、現況のライフライン設備は、危険な状態である事を知ってい
ただきたい。

24時間眠らない都市社会にいつ故障が起きて、パニック現象が生じてもおかしくない現況である。

【サービス産業時代】

を適切に維持管理するには、国民から徴収した「血税」の使途として、国家予算で【保全費】を多く計上し、医療や教育や福祉と共に、電気設備、ガス設備、上下水処理場、ゴミ焼却場など、ライフライン設備をはじめ、公共施設など、行政において、しっかりとした（技術者の育成）を含む

【メンテナンス政策】

を徹底して、国民が安心して日常生活が送れるよう、支障の無い危機管理を行い、安定した社会を築いていただきたい。

国民が人事部長です

いよいよ衆議院の解散総選挙。

国会議員の先生方は今、無職の素浪人。

さぁ、これから国会議員の先生方の【真剣な就職活動】が始まりますよ。

選挙期間中、元議員は、【美辞麗句】を並べての街頭演説で必死です。

採用を決める人事部長は国民の皆さん。

容姿端麗や、学歴や、甘い言葉に欺されないように注意しましょう。

議員の方々の高いお給料は、我々国民が支払っている事を忘れずにね。

党派にこだわらず、しっかりと、我々国民のためのお仕事をして下さる方々を見極めて、慎重に選んで採用致しましょう。

政権交代の時期か？

ＮＨＫの国会中継を見ていて、与野党、各議員の論議に呆れている。
誰一人、まともな議員はいない。ただの弁論大会だ。
これが国民の生命と財産を預かる国会議員かと思うと、情けなくなる。
我々、民間企業の役員会議と比べ、雲泥の差がある。
評論家のごとく、弁明ばかりで、何一つ決められない。

【百の議論より一つの実行】

今、やらなければならないのは、「迅速な対応」
国が平穏な時は、誰が議員になってもやっていけるが、こんな【有事な時】こそ、議員としての真価が問われる。

今、頑張っているのは、地方自治体。
特に大阪の【維新の会】の連中。
吉村洋文大阪府知事も、見るたびに、痩せて……

一生懸命なのがうかがえます。
知事の報酬を、自ら50%カットし、府民の経済政策にあてている。
次回の国政総選挙では、是非、「行動力のある維新」が国政に出て、政権をとってもらいたい。

強力なリーダーシップの発揮できる、「橋下徹氏を総理」に、東国原英夫氏を副総理にして、吉村知事を財務大臣に、松井一郎大阪市長を経済産業再生大臣に任命すれば、国政は大きく変わり、日本経済は大阪府のごとき早期に復興すると考える。

【人事を尽くして天命を待つ】それを願っているのは国民だ。

今、「日本の政体は歴史的に大きく変わろう」としている時期であると考える。
国民の皆さんは、しっかりと現実を見つめ、次の国政総選挙では、国民のための「本物の議員」を選ぼうではありませんか。

政治家の皆さんへ

コロナ現象、いつまで続くのやら。

これは世界的、国難の有事。

今の日本の政治家、【巧言令色鮮し仁】の方々が多いですね。

「百の理屈より一つの実践」

何とか抜本的対策を考えられないものでしょうか？

「国民の生命と財産を守る」

といった使命感を持った議員さんが、少なくなりましたね。

国家予算も、「医療」と「教育」と「福祉」と「保全」に重点をおいて欲しいものです。

政教分離は建て前

安倍元総理の事件以来、マスメディアでは、法律で定められた【政教分離】の事を毎日の様に取り沙汰されている。

……が、「今更?」

と言いたい。

宗教と政治は、切っても切れない繋がりがあり、「建て前」としか言い様が無い。

何故なら、両者には【利害関係が一致】するからである。

宗教団体は、政治家の【名誉】を必要とし、政治家は、宗教団体の【組織票】を必要とするからである。

この関係は、終末の見えない【永遠の課題】でしょうね。

税務調査の在り方

もう、三月ですね。

各企業では、決算期を迎えました、確定申告の月でもあります。

納税は「国民の義務」であって

皆さん、キチンと申告、納税いたしましょう。

私が以前から疑問に思っているのは、税務調査の在り方です。

我々、会社の場合、決算には監査役の厳しい内部審査があり、

また、税理士法人の監査を受けて、税務申告をしているにもかかわらず、

定期的に税務調査が行われる。

【脱税していないか?】

性悪説に基づいて調査されているようで、あまりいい気がしない。

本来、国民の義務を怠り、税務申告もせず、しっかり儲けて、脱税している人も数多く見受ける。

YouTuberといわれる、個人事業主で、名刺には株式会社となっているが、法人登記はせず、本社は自宅マンション、電話番号は携帯、日頃、高級外車を乗り回し、高級クラブへ出入りしている。

当然、税金は支払っていない。本人いわく、「帳簿などつけていない」と言っている。

そういう所には調査はされないのは何故でしょうか？

正直に【申告している所には調査が入り】【申告していない所は野放し】

何か矛盾していませんか？

戦争のやり方

今のニュースは、戦争の事ばかり。

戦争というものは、

トップの考え方が、互いに他国と、利害関係や宗教や思想など、意思の疎通が図れないからであろうが、

それなら、戦争を決断、指揮した本人が、前線に出て先頭に立ち、

【1対1】で

戦えばよいのではないか？

何故、何の罪もない、多くの国民が犠牲となって、殺されなければならないのか？

自分は安全な場所にいて、卑怯と言わざるを得ない。

選挙という戦争

今、エジプトでは、政府側と反政府側との政情不安に対する衝突が毎日のように報道されている。

他国ごとではなく、本来なら、今の日本も違った意味で、同じ状況下に迫って来ているのだが……、

国民は、「茹で蛙現象」になっている。

日本は平和ボケなのか、それとも皆さん、紳士、淑女なのか?

はたまた、《無関心》なのか?

大阪では、2011年4月10日府議選、市議選の同時選挙という戦争が始まる。

【大阪維新となるか?】、維新の会の候補者には、頑張っていただきたいとともに、

大阪府民、市民の真価も問われる【大阪春の陣】となるであろう。

早急に解散総選挙を！

我々、民間企業では、トップたる者、【社員の人権と、生活の安定】を目指して、日夜、必死で経営に取り組んでいる。

中には、「個人的権力」と、「私利私欲」のために、【経営者】と名乗っているトップも一部には居るが……

その最たる者が……「株式会社 日本」の経営者と言われる【国会議員】と言えよう。

今の日本の状況を考えると何を差し置いても、【国民の生命と財産を守る】

と言った強い「使命感」が必要な国難なのに、全く見えない。

何の手を打つ事も出来ない「平和ボケした議員」の何と多い事か。

こんな有事な時にこそ、力量を発揮して貰いたいものだ。

我々国民は、強いリーダーシップの取れるトップや議員を求めている。

有無を言わず、早急に、解散総選挙を！

統一地方選挙を考える

今回の災害を機に、「緊急度と重要度」という有事に際し、政府の対応についての、「無策さ」を知った。

国が平穏な時は、「どの党が」政権をとっても、「誰が総理」になっても大して差し支えない。問題は《有事》、すなわち【想定されないアクシデント】が生じた時だ。

我々は今回の教訓を受け、この国難時期の最中である。

2011年4月10日に実施される統一地方選挙において、有事の際に《臨機応変》なる適切な【判断】と【指導力】が発揮できる首長や議員を選ばなくてはならない。

大阪維新の会のメンバーに期待したい。

徳育教科の採用

大阪市では、政府の教育改革基本法に基づき２０１２年5月28日教育行政基本条例が公布・施行された。

教育には「知育」・「徳育」・「体育」があり、現状での学校教育においては知識記憶式の「知育偏重教育」となっている。

学童の「いじめ」や「自殺」などの事案や、家庭内暴力が後を絶たない。

これらは【徳育】不足のなせるものである。

本来、「徳育」の原点は、まず《家庭にありき》であるが、親が親としての責務が果たせずなおざりになっている。

私が思うに、学校の義務教育の授業期間に【介護実習】の教科を取り入れてはいかがなものかと考える。

介護実習には、《技術⇒資格》《心⇒思いやり》がなければならない。
そのうち、
(1) 介護の技術＝「資格」は大人になってからも学べるが、
(2) 介護の心＝「思いやり」は幼い頃から養っておく事によって
本当の意味での【徳育】となり、少子高齢化が進む我が国の社会現象に
是非、必要な教養ではないかと。
ひいては社会人として、先輩、上司、家庭においては、親、老人など、年上の人に対する上下
関係における【敬う心】すなわち《優しさ》という人間味に精通した教育と考える。

日本初の女性総理

【もしも……】

元総務大臣の高市早苗議員が総裁になったら日本で「初」の女性総理が誕生し、しかも、第100代という節目の総理。

国際的にも、大々的に話題となり、日本が注目される事になるであろう。

と、なると、高市総理も、イギリスのサッチャー氏やドイツのメルケル氏と並んで、

「世界三大女性リーダー」

となり、日本も世界から注目されると、大きく変わっていくと、推察される。

今の日本は、自由主義で、そのこと事態は平和で、何ら問題は無い。

が、しかし、余りにも自由主義が横行し、【自由と身勝手】が混同し、勘違いして、「平和ボケ」とも言える問題ごとが多発している。

これらを考慮して、今の日本、国内のリスク管理と共に、自国を守るためにも、法整備も必要と考える。

こう言った事は、霞が関の官僚からも信頼の厚い、【高市早苗総理】が、国内外から見ても、適任と思われる。

日本初の女性総理誕生

【党内各議員の皆様へ】

今、総裁選で、誰が総理に相応しいか？

マスコミで話題になって、各自、テレビのインタビューで綺麗事を言っているが、結局は、有力候補に上がっている人たち、党内の派閥における、「名誉と権力闘争」であって、【国民はそっちのけ】

今回は、第１００代目の節目にあたる総理。
日本も一層の事、国際的に【女性総理】も良いのでは無いかと考える。
霞が関の知性溢れる官僚からも信頼の厚い、

【高市早苗元総務大臣】
が、名誉や権力にとらわれず、外交においても、内政においても、国民目線で、きめ細やかなる配慮が出来、国民に取っては相応しいと推察する。

発言場所を考えて！

国会で
総理！　総理！　総理！
と、叫んでいた女性議員さん。
今こそ、地元の有権者に、
SORRY、SORRY、SORRY
と言って、頭を下げるべきでしょ。

平和な日本を守る

今の日本、
一見、平和そうに見え、
国民は平和ボケしているが、目の前には脅威が迫っていることを知らねばならない。
敗戦国である日本は、
非核三原則を守り、戦争を放棄しているが、近隣諸国がその足もとに目を付け、ジワジワと迫って来ている。
日本の領土である北方四島、尖閣諸島、竹島問題、サイバー攻撃などである。
解決策には、自衛権を強化し、

【防衛費予算】を

ＧＮＰの２％程度に増額せねばならない。

また、今の平和を維持するには、現実問題として、

【公共施設の維持管理】、

特に、24時間眠らない都会のライフラインにあたる、上下水道設備、ゴミ焼却設備等、50年近く経過した

【電気設備の老朽化】

が進行し、いつパニックが起きても不思議でも無い状態にあり、

早急に【保全費用】を予算化し、

また、医療や教育、福祉関係にも力を入れ、国会で審議して頂きたいと願う次第である。

今後の電力需要について

今年の夏は、前代未聞の異常な猛暑。

地球温暖化の影響でしょうね。

発電容量も足らなく、電力需要もひっ迫し、熱中症の中、節電を余儀なく要求されています。

私が思うに、日本国は島国で、列島の中央は山岳地帯ですよね。

この山岳を利用して、低い山々に、分担して「多目的ダム」を造り、小水力の発電所を多数建設すれば、建設費も余りかからず、故障等、【有事の際のリスク分担】も出来るものと考えます。

高額な大容量の原子力発電所や、火力発電所ばかりの建設費用に頼らず、何よりも、小水力発電設備の方が、エネルギー資源も、外国に依頼する事無く、無限にあり、又、CO－2等、公害も無く、京都の「宇治発電所」の様なものが良いのではないか？

と思うのですが、いかがでしょうか？

経産省、国交省、環境省等と連携して、国策としても、小水力発電所計画は、プラント建設なので、経済発展の為にも役立ち、一石二鳥、三鳥の効果があるものと期待されます。一度、政府の方でもご検討されたらと、思うのですが。

民の為の政治家

昨日の国会での、党首討論を聞いていると、各党共、発言に

「国民は…」

「国民が…」

「国民に…」


と、国民という言葉が飛び交っている。

が、内容は国民を無視した、ただの、詭弁と方便の《弁舌合戦》、言葉尻を捉えた《揚げ足取り》に過ぎない。

いずれも「党利」のための国会論争。

本気で国民のためを思っての討議か？　疑問視したくなる。

国会議員とは、国民に選ばれた事を忘れ、選挙前（当選前）と、選挙後（当選後）は、こうも変わるモノなのか？

となれば……

せめて大阪だけでも２０１１年４月10日の統一選挙で何党にも属さない【大阪維新の会】の立候補者に、期待したいものである。

【著者プロフィール】

西岡仁克（にしおか まさかつ）

昭和19年生まれ、工業高等学校電気科卒業、叔父の営む電動機修理を経て、昭和46年12月株式会社明西エンジニアリングを設立。以降、『共感連帯経営』を経営理念として35年間、代表取締役を経て、現在は代表取締役会長。日本メンタルヘルス協会で心理学を学び、カウンセラーとしても活躍中。

座右の銘は「啐啄同時（師家と弟子のはたらきが合致すること）。

好きな言葉は「己よりも賢明なる人物を身近に集むる法を会得し者ここに眠る」（鉄鋼王と呼ばれ、カーネギー財団やカーネギーホールなど公共事業に資金を出したことでも有名なアメリカの名経営者アンドリュー・カーネギーが、1919年83歳で没したとき、墓碑銘にこう刻まれた）

バカげた風評道徳《ふうひょうどうとく》

2023年2月27日　第1刷発行

著　者　　西岡仁克
発行人　　久保田貴幸

発行元　　株式会社 幻冬舎メディアコンサルティング
〒151-0051　東京都渋谷区千駄ヶ谷4-9-7
電話　03-5411-6440（編集）

発売元　　株式会社 幻冬舎
〒151-0051　東京都渋谷区千駄ヶ谷4-9-7
電話　03-5411-6222（営業）

印刷・製本　中央精版印刷株式会社
装　丁　　くらたさくら

検印廃止

Printed in Japan
ISBN 978-4-344-94407-7 C0031
幻冬舎メディアコンサルティングＨＰ
https://www.gentosha-mc.com/